Il est né le Poète

L'homme est de la race des poètes, des plus grands, des vrais, des immenses, de ceux que l'on désespère d'atteindre.

Jean Claude voyage les yeux ouverts, le cœur offert, et l'âme vagabonde.

Il vous décrit l'Afrique comme vous ne l'auriez jamais imaginée, ou visitée. Il transforme un désert de cailloux en bouquet de rose de sable.

Non seulement il sait voir, mais il sait vous faire voir en vous emmenant par la main en des lieux où vous n'auriez jamais su aller, que vous n'auriez jamais supposé exister. Il transforme le monde en un bouquet de rêves et l'humain en un demain d'espoir.

Mieux que diamant il est pure opale dont les pensées jaillissent en mille feux dans mille lieux.

Son regard sait voir au travers des choses et des gens les réalités cachées et les beautés enfouies.

Comme le peintre choisit ses touches de couleurs avec précision, Jean-Claude choisit ses mots avec pareil discernement pour dépeindre le monde avec juste observance.

Qu'il soit remercié d'être ce qu'il est, car il reste l'un des derniers charmeurs des bonheurs de la vie dont il nous offre le plaisir de partager le regard.

Jean-Claude a l'amitié sans outrage, sans ombrage, sans partage, entière.

bernard l'hostis, éditeur

Jean-Claude CASSEN
Éditeur : Books on Demand GmbH
12, 14 rond-point des Champs-Elysées
PARIS, France
Impression : Books on Demand, GmbH
Nordersedt, Allemagne
ISBN : 9782322259526
Dépôt légal : Décembre 2020

Poèmes libres

ARÈNES

Béant,
Comme la bouche d'un géant,
L'amphithéâtre ne rêve plus des splendeurs et des fêtes d'antan.

Silencieux, immobile, et figé dans sa pierre,
Saint Eutrope le protège et lui voue ses prières.

Le grand clocher et le géant,
Selon le jour, blafards, convalescents,
Peuvent être gris, bleus, roses, incandescents,
Sur un fond lumineux de ciel d'océan.

Blessé dans le vallon, le cirque s'est couché
Sous la flèche de son clocher,
Triomphe de l'Église sur la Rome oubliée.

BATEAU

Endormi sur la vase comme un rêve échoué,
Retenu par sa chaine inutile,
Son mât n'est qu'une barre oblique sur le ciel.

Il se repose, retient son souffle, ne vit qu'à peine,
Regrette la houle et la mer,
Et pleure par ses écoutilles.

Couché sur un manteau de boue,
Il écoute dans ses haubans
Les premiers frémissements du vent,
Et le frisson de la marée dont le cœur bat déjà, là-bas, dans l'estuaire.

BURNOUS

Assis près de la fontaine,
Le burnous rabattu sur la tête,
Le vieil homme penché
Médite, ou prie.
Et je devine entre ses mains
Filer les nœuds de la prière.

Il n'en est rien.
Le vieil homme de la fontaine,
Au regard trouble
Et aux doigts malhabiles,
Lance un message sur son mobile.

Appliqué, le vieux sage
Tape un à un les mots de son message.
Bercé par le silence
Et par le bruit de l'eau,
Il se connecte, échange, correspond,
Avec le monde et le lointain,
Avec sa femme ou son cousin,
Ignorant l'appel muezzin
Pour avertir une parente :

" Toute affaire cessante,
N'oublie pas mon thé à la menthe. "

CALYPSO

Dieu n'est qu'un voile
Derrière lequel il n'y a rien.

Dieu n'est qu'un voile
Qui tend à nous faire espérer,
Tout ce qu'on voudrait posséder.

Dieu n'est qu'une convoitise,
Un commerce de friandises.

Et lorsqu'on croit lever le voile,
Enfin s'ouvrir à l'inconnu,
On voit bien que chacun porte un masque,
Alors qu'il prétend être nu.

CAMEL

Unique, ondulant, archaïque,
Il pose avec indifférence
Sa silhouette nonchalante
Sur l'horizon.

Sa lippe molle et tendre blatère avec dédain
Sur le rythme élastique d'un tambour Africain,
Et son regard de Joconde
En méprisant le monde,
Y poursuit un chemin de rêves incertains.

À la fois de passage
Et éternelle image,
Immuable et constant,
Il chaloupe les dunes et tangue sur le temps,
Vaisseau silencieux de la steppe et du vent.

CARRELET

Cet oiseau là ressemble à un courlis.
Par son bec tendu,
Et sa poche qui pend,
Il tient aussi du pélican.

Perché dessus ses pattes grêles,
Attaché à la rive et planté sur la grève,
Il est le guetteur avancé, le vigilant,
Celui qui défie la marée, et les courants.

C'est un oiseau de bois fixé sur le rocher,
Et cet oiseau de bois, quand le large l'appelle,
Nous permet de voler,
Emportant sur son aile
Nos rêves migrateurs.

CÉLESTE

De gros nuages y paissent lentement.
Leur fourrure épaisse et souple,
Se gonfle comme un souffle,
S'arrondit, se fait ample, riche, douce,
Comme de gros animaux sucrés,
De gros glaçons lactés,
Comme une mousse,
Des iles, une banquise.

Il n'y a pas de vent sur la prairie céleste.
Ce sont bien des bisons,
Et les grandes plaines de l'ouest…

COLÈRE

Il invente l'amour,
Il prie et fait la guerre.
Il pense voyager,
Se perd,
Et quand tout est perdu,
Il espère.

Insatisfait et solitaire,
L'homme n'est qu'une colère,
Et comme les orages
Masque par des éclairs
L'ombre de son nuage.

COMMENT DIRE

Comment veux-tu que je te dise ?
Avec ma main sur ta main ?
Avec un baiser sur ta bouche ?
En chuchotant au creux de ton oreille,
Ou à la pointe de tes seins ?

Comment ne pas vouloir crier
Cet amour qui m'enfièvre,
Et me frisonne au creux des reins ?

Comment ne pas espérer
Et comment ne pas craindre
Alors que je voudrais t'étreindre,
Que tu ne veuille plus m'aimer ?

DACTYLO

Lovée au creux de la machine
La feuille s'est cambrée sous les longs doigts d'acier.
En rythme saccadé,
En tac tac mécanique,
Les bras impatients
Viennent y poser des mots,
Imprimer des secrets,
Jouant de frôlements,
De caresses furtives,
D'arpèges et de rafales,
Jusqu'à ce cri final
Où le papier s'extirpe
Dans un long feulement de plaisir métallique.

J'imagine des mains, douces et sensuelles,
Des mains habiles, fines et belles,
Recueillant pieusement
Le long jaillissement de papier blanc.

Vêtue d'un manteau noir,
Avec des dents nacrées,
Elle était élégante et posée.

Je m'en souviens encore,
C'était une Olivetti noire,
Et or.

DANS LES NUAGES

Dans un ciel de lendemain,
Dans un ciel blanc bourrelé de satin,
Un gros nuage noir apeuré,
Seul, immobile, sombre comme un chagrin,
Ne sait plus où aller.
Le vent de sud se fait doux et tiède, l'entoure, le rassure, le console, le borde tendrement, alors que ses frères plus blancs viennent se frotter à lui, le renifler, ...
lui dire...
Il se détend, s'étire,
Se fond dans le troupeau,
Garde sa grêle et son sanglot.

DÉCEMBRE

Dans la lueur pâle
D'un jour en pénitence,
Il tombe un voile de silence,
Comme une aurore blanche.

Le ciel si bas qu'il ne peut être vu
Saupoudre d'un nuage les branches d'arbres nues
Où les oiseaux se taisent, ne chantent plus.

Tout s'alanguit, tout se détend,
Et sous le voile épais du temps,
La vie n'est plus qu'un rêve blanc.

DUNE

Alanguie, assoupie, consentante,
Caressée par le vent qui glisse sur sa peau,
Elle respire et elle chante
Et l'on dirait le bruit de l'eau.

Toute en rondeur et en fluidité,
Elle protège une source,
Un refuge ombragé.

Ce soir, et sous un ciel de lune,
J'irai dormir au creux des dunes...

ÉCHO

Afin de pouvoir dire
Comment aimer, comment souffrir,
Comment rêver, et comment rire,
J'inventerai des mots.

Les mots qu'on ne dit pas,
Les mots qu'on n'ose pas,
Ceux que tu n'attends pas,
Je les dirai pour toi.

Des mots à chuchoter, à chanter, à hurler,
Des mots à s'étonner,
Des mots à s'enhardir,
Des mots en fleurs de neige,
En tourbillons et en manèges,
Des mots lourds et volages,
Pas très sages,
Des mots de prince et de marquise,
Enrubannés, en friandises,
Des mots qui osent,
Des mots qui frôlent,
Des mots de pain d'épices,
Ou de feux d'artifices,
Des mots d'acier ou de cristal,
Des mots qui blessent et qui font mal,
Des mots avares ou dispendieux

Des mots honnêtes et malheureux,
Des mots d'espoir, de chagrin, de toujours,
Des mots de haine, de violence, et d'amour,
Des mots d'adieu et d'au revoir,
Des mots sucrés, doux au toucher,
Des mots du bout des lèvres,
Des mots de fièvre,
Des mots de sous les draps,
Des mots tous nus, des mots tous crus,
Des mots indécents et intimes,
Des mots ultimes,
Des mots cachés, des mots mouillés,
Des mots que je crois miens,
Qui ont tes yeux, tes mains, tes seins,
Des mots comme un cadeau,
Comme un écho,
Des mot...

ÉCRIRE

C'est un chemin,
C'est une errance,
C'est un désert,
Une espérance,
Où l'on se fixe rendez-vous ...

Pour partager la page blanche.

ÉPHEMÈRE

Nouadhibou Sahara
Boubous, couleurs, et cris de joie
Au soleil blanc
Sable brûlant.

Ondulante à pas lents
La cruche sur la tête
Perle d'eau sur la peau
Ébène d'une nuit
Qui danse et me sourit.

Inconnue dans la rue
Je la rêve ingénue
Sous la soie toute nue.

Cœur battant
Main tendue
Désir destin
Amour félin,
Sur ses joues patachou
Baisers doux chachachou
Nouadhibou la s'mala
Rien qu'un jour et voilà.

Désir passion,
Seuls sur la terre
De l'enthousiasme à l'éphémère
C'était là-bas

C'était hier,
Qui s'en souvient
Qui s'en libère ?

Boubous couleurs et cris de joie,
Je me souviens baisers de soie
Du soleil blanc amour brûlant
Je me souviens c'était hier
Fleur en émoi, douce éphémère,
Et la caresse de ses bras.

Nouadhibou Sahara,
Rien qu'un jour,
Ce jour-là.

ET APRÈS

Que reste-t-il après Toi ?

Alors que j'essayais de vivre,
J'aurais dû respirer ce parfum qui m'enivre,
Et qui me vient de toi.

Je m'en suis aperçu, un peu trop tard sans doute,
Mais il n'est pas trop tard, pour connaitre la route
Qui mène nulle part,
Finale et dérisoire.

Que reste-t-il après TOI ?
Rien, mais ton parfum est toujours là.

FAUTE

Faute d'avoir vécu,
Faute d'avoir aimé,
Faute d'avoir su faire,
Je me suis arrêté.
Pour avoir trop rêvé,
Pour avoir trop dormi, attendu, espéré,
Pour avoir trop pleuré,
Réclamé,
Cru en toi,
Supplié,
Pour avoir trop erré,
Fort de mes certitudes,
Je vais entrer en solitude,
M'éloigner du rivage,
Larguer les chaines d'esclavage,
Ne plus bouger,
Ne plus attendre,
Et ne plus espérer.

FLEUR DE DESERT

Les pirogues effilées comme de longs voyages,
Etirent leur lenteur dans un remue-ménage
De chants, de cris, et de rires d'enfants.
C'est l'heure où tout un peuple sur la grève
S'anime de couleurs, de langueur et de rêves ·
Dans le jour finissant.

Couleurs de Bourem, couleurs de ses maisons,
Et des femmes ondulantes en voiles chatoyants,
En longues fleurs des sables, en lueurs d'horizon.

Statue altière,
Drapée par le soleil et le vent du désert,
Elle me regarde en souriant.
Et son visage resté dans l'ombre,
Et de ses yeux immenses et sombres,
Elle me dit l'aventure de l'espace et du vent.

FONDANT

Du feu dans les cheveux,
Des éclairs plein les yeux,
Elle joue de ses bras blancs
En charmant le serpent
Souple, doux et moelleux,
Tendre et presque amoureux,
Qu'elle caresse, étire,
Et berce, en un ballet mystérieux.

Le long reptile dessine entre ses mains
Une danse lascive, odorante et sucrée,
Ondulant comme un poulpe au bord de la jetée.

Je vois qu'elle me regarde,
Et ses mains papillons
Caressent jusqu'à l'abandon
La pâte prometteuse aux saveurs de bonbon.

Et je me sens berlingot,
Sucre d'orge,
Perle d'amour...

FONTAINE

Le clapotis de l'eau
Au bord de la fontaine,
Des tourterelles.
Des plumes d'ailes,
Le bruit du flot.

Le clapotis de l'eau,
Une prière,
Du bout des lèvres,
Il fait si chaud.

Le clapotis de l'eau,
Au bord de la fontaine,
Caresse du silence
Et perle d'un sanglot.

GRAND COEFF

L'air est si transparent qu'il semble rare,
Et l'eau s'est retirée.
Les rochers font une tache sombre
Au bout du sable nu.
L'estuaire est petit,
Le Verdon est tout proche,
Et Cordouan grandit sur son gâteau de sable.

La Gironde montre son flanc
En espérant le flux.
Les carrelets sont figés en haut de pattes grêles,
Le ressac joue son 33 tours usé,
La renverse commence,
L'ouest s'engouffre et enfle,
Les courants s'accélèrent, s'insinuent, et serpentent.

La grande conche tire la couette sur ses pieds…

L'ATTENTE

Va au-delà de l'eau,
Vole au-dessus des flots,
Le bleuté des promesses
Et l'ombre de tes rêves
Animent l'horizon
D'inaccessibles tentations.

Passant les océans
Franchissant les montagnes,
Tu cherches le lointain
Que tu tiens dans ta main.

Assieds-toi sur la plage,
Laisse venir le flot,
Laisse le vent chanter le bruit de l'eau,
Ne bouge plus, sois sage,
Laisse aller sur la grève
Ce que tu crois
Ce que tu rêves,
Sois juste là,
Et l'océan te parlera.

L'HOMME BLEU

Il parlait comme un vénérable
L'homme bleu accroupi sur le sable.
C'était un homme noir et bleu et grand,
Couleur de vent.

Je me souviens du soleil implacable,
Et de cet homme bleu dessinant sur le sable,
Eta, Toua, Arek... Touarek...

Le vent, comme une main effaça l'écriture.
 -" Pas de trace ", dit-il, " la vie efface tout,
Et lorsque le vent souffle, elle oublie tout de nous.
Ainsi, même noir et bleu et grand,
Je ne suis que le bleu du vent. "

LA MINIJUPE ET LA BURKA

Toutes deux cherchant l'ombre,
Elles se sont accroupies auprès de ses racines.

L'une n'est qu'un bandeau,
L'autre n'est qu'un voile.

L'une fait semblant de rien,
Et l'autre exprès de tout.

L'une dit, je me montre, vous n'aurez rien,
L'autre dit, je me cache, vous aurez tout...

Et l'arbre de la connaissance,
Faisant exprès d'être innocent,
Invente la concupiscence...

LA SÉDENTAIRE

La palombe dodue
Se dandine à pas lents .
Sa tête dodeline
Sur son buste saillant.

En gilet gris et collier blanc
Elle flappe des ailes
Avec un bruit de bois,
Souvenir migrateur
Des vols d'autrefois.

Précieuse et mijaurée
Elle se pousse du col,
Et d'un air satisfait
Déambule et dindonne.

Comme elle vient boire mon eau
Et manger ma pitance,
Elle s'incline et fait la révérence,
Fière altesse exilée
Cachant sa décadence.

LA SIESTA

Une main invisible vient de baisser le son.
Lumière au maximum, images au ralenti, tintement de verres, torpeur, engourdissement, et les rues sont désertes.
Dans la chambre striée par le soleil au travers des persiennes, le rideau bouge à peine sous la brise, et les pommes de pin craquent dans le concert des cigales.

Il flotte une odeur de résine et de terre brûlante...
Je vais dormir, sombrer très vite comme j'en ai le délicieux pouvoir...

Le chien est aplati sur le carrelage,
La fontaine ruisselle...
Tu vas venir t'allonger près de moi, juste vêtue de ton odeur qui s'évapore sur ta peau comme un mirage.

Je ne vais pas bouger, juste te respirer, comme un parfum d'été, et j'imagine des perles de sueur ruisselant sur ton ventre et tes seins, avant de disparaitre dans la brise et le souffle régulier qui nous berce.

LA VIGIE

Statue vivante d'une mère,
Elle attend un message, ou l'appel d'un amant,
Venu de par les mers,
Transporté par le vent
Qui dénoue ses cheveux et dénude son front.

Il pleut,
Et des nuages d'ombres montant de l'horizon,
Viennent se déchirer au-dessus des brisants.

Stoïque, sans un mot,
Elle porte un enfant dans son dos,
Comme un présent,
Comme un fardeau,
Comme un devoir,
Comme une vie malgré le désespoir.

Silhouette attentive sur son balcon de terre,
Figure de proue d'un Finistère,
Elle protège l'enfant,
Et s'inquiète d'un père
Présent comme un voyage dans la force du vent.

LE FIL

La dame blanche reste dans l'ombre.
Elle craint la lumière qui obscurcit sa vue,
Et ses doigts malhabiles tricotent un fil ténu.

De carrés assemblés elle crée des œuvres bigarrées.
Chaque carré semble une image, un souvenir,
Où se nouent en silence, des craintes et des désirs,
Des regrets, des plaisirs,
Des portraits de parents, d'amis, d'enfants
Et peut-être d'amants...

Elle a de ses vieux jours, tissé d'un même fil, la couverture
qu'elle tire à ses pieds chaque soir,
Et tresse son écharpe qu'elle allonge sans fin,
comme un devoir.

Elle tricote sa vie, elle en rythme le temps,
En écoutant le balancier, elle tricote le sablier.
La vie l'attend,
L'invite...

- " Elle ne sait pas encore que c'est moi qui la quitte !... "
Me dit elle tout bas.

LE GARDIEN DE DJINGEREYBER

À l'heure où le couchant teinte les murs de terre,
Au cœur du grand désert
Par une porte sombre, donnant sur le mystère
Un rayon de soleil filtrant dans la mosquée
Vient dessiner dans l'ombre un chemin de clarté
Où la poussière luit comme une voie lactée.

Je n'ose pas entrer.
Dehors la lumière,
Et dedans le silence.

Une main m'interpelle et dans l'ombre s'agite.
Silhouette accroupie au pied de la mosquée
On dirait un redjem sur le bord de la piste.

Entre, dit-il ,
Franchis la porte et quitte la lumière,
S'il fait sombre dedans,
Tu verras mieux en toi.

LE MIROIR

Ce n'est plus un miroir qui m'attend le matin
Dans ma salle de bain.
C'est un ordinateur,
Qui filme, me regarde, me dit ce qui va bien.

"Vous buvez trop de vin,
Et mangez trop le soir,
Et vous avez ronflé,
Et votre langue est noire,
Vos paupières sont bouffies
Et vos traits sont marqués.

Introduisez la carte de crédit:
Et choisissez :"

Crème antirides et drainage hépatique,
Anticerne et antifatigue,
Raviveur de papilles,
Epilation nasale,
Boisson vitaminée,
Rehausseur de bonne mine,
Ou traceur de sourcil,
Onguent à l'élastine,
Repulpeur, ou souteneur d'éclat.

"Appuyez sur OK,
Et faites votre choix"

Je voudrais ...
Une clope, du pinard, et des œufs sur le plat.

LE REPOS

Au soleil immobile
Juillet incandescent
S'évapore en torpeurs
Pénombres et lueurs
Irisant sur ta peau
Des perles de sueurs.

Et la lumière ose,
Volets fermés, paupières closes,
S'insinuer indécente
Sur nos corps harassés
D'amours échevelés,
Enchevêtrés.

La moiteur de midi sur nos corps alanguis,
La buée sur tes lèvres
Et du Martini blanc pour apaiser la fièvre,
Accalmie du désir
Silences et soupirs,
Ne plus bouger,
Juste l'instant,
et ne rien dire.

LES ÂNES

Parcourant l'horizon
De leur pas régulier et constant,
Ils vont, claquant de l'escarpin,
Toujours plus loin.

Secrets, têtus,
Bourrus et tendres,
Pèlerins étemels
Économes et fidèles,
Ils sillonnent le monde
Comme des pénitents
Heureux et consentants.

Par la cadence et la mesure,
Le bruit de leurs pas nous rassure.
Pour leur courage et leur sérénité
On aime les entendre trotter.

Arpenteurs de destins,
Fidèles métronomes
Depuis les origines et le premier matin,
Les ânes picotins
Chronomètrent les hommes,
Sur les chemins.

MAGNOLIA

En été cévenole
Une fille guibole
Balance sous le vent
Le parfum frémissant
De sa jupe corolle.

Il est midi, soleil de Roi,
Ombre et senteur de magnolia.

Fille de l'air, jupon léger,
Fleur du vent, souffle d'été,
Passe le temps, passent les ailes
Du vent d'autan sur les cévennes.

Au soleil roi les tourterelles,
Plumes de soie sur les fontaines,
Il est midi sous les dentelles,
Fille de l'air en passerelle,
Fille d'été en fleur de Roi,
Fille en jupon de magnolia.

Claque son pied sur le pavé,
Perle de sueur, parfum d'été,
Souffle léger, brise ingénue
Du vent d'autan sur sa peau nue.

Il est midi, parfum d'émoi,
Fleur en jupon de magnolia.
Il est midi, fille de Roi,
Il est midi fille guibole,
Qui de son pas de barcarole,
Valse le temps,
Tangue l'été de sa jupe corolle,

Et puis s'envole.

MARÉE DE 111

Quand les flux importants
Des grands coefficients
Emplissent l'estuaire,
L'océan de ses bras vient enlacer la terre
Et lécher les herbages.

L'horizon de la mer
Rejoint celui des terres
En un vaste miroir,
En reflets, en mirages.

Seuls quelques piquets sombres et désœuvrés,
Quelques pontons, quelques jetées
Marquent le pas des hommes.
Des pluviers, des courlis,
Des oiseaux blancs et gris
Attendent le reflux.

C'est une réunion,
Ce sont des retrouvailles,
Comme de vieux amants
Respirant côte à côte
Au rythme des courants.

L'océan embrasse les rivages,
La terre fait le plein,
L'air est celui du large,
Et ça sent le cuir neuf, le voyage...

MATIN

Le clapotis de l'eau,
Flocons de mousse sur ta peau.
Le matin qui ruisselle,
Les flaques sous tes pieds,
Et ton peignoir se ferme dans un souffle feutré.

Les volets applaudissent à la lueur de l'aube
Et le chat veut rentrer.
Les terrasses se baignent dans l'odeur de café,
Et les étals croulent de fleurs, de fruits,
De rires et de cris.

Murmure et rumeurs,
Odeurs et saveurs,
La rue, en taches de couleurs,
Devient l'abri multicolore
D'une foule marchande épicée et sonore.

C'est l'appel du dehors,
Je voudrais bien dormir encore.

MATIN CHOPIN

Des gouttes de piano,
Au-dessus de la brume.

Au ciel bleu métallique,
Des notes de musique
Feutrées comme un satin,
Par la fenêtre ouverte
Perlent sur le matin.

Je l'entends, tu fredonnes,
Et je sens sur ta peau,
Le piano qui frissonne.

MATIN DE MAI

Le muguet en colère crie au sorbier :
" Ça suffit !! Arrête de pleurer sur mes clochettes ! "

Dans le jardin encore humide, le lapereau agrandit ses yeux étonnés sous une pluie de pétales dansant comme des flocons.

Les palombes, comme deux commères, chuchotent dans leur poitrine généreuse sur les jeunes qui ne sont plus comme avant.

Elles nichonnent, croupionnent, déambulent, se dandinent et dindonnent alors que midi sonne.

MATIN DE ROSE

C'est un matin perdu dans le parfum des roses.
Un matin luxueux, capiteux, hors de prix,
Qui sent le neuf et les essences rares,
Un matin immobile, éternel, hors du monde,
Où le temps s'épaissit
Et subit la moiteur de l'orage qui gronde.

Le ciel, au ras du sol,
Vient humer l'herbe humide comme une lèvre tendre,
Et le vent lourd d'effluves s'abat sur les bouquets.

Les roses perlées d'eau sont toutes décoiffées,
Et leurs yeux fatigués,
Leurs robes chiffonnées,
Subissent la caresse qui détruit et qui ose.

Souvent les nuits d'été ébouriffent les roses,
Et au petit matin,
La pluie qui les arrose
Leur offre une parure de perles et de parfums.

MÉROU

Je crois que Dieu est un mérou.
A l'abri au fond de son trou,
Il dédaigne le monde,
Et de sa lippe molle et ronde,
Fait la moue.

Silencieux, cultivant le mystère,
Il n'a plus d'intérêt pour l'humain éphémère.
Il n'en attend plus rien,
Et c'est là le destin
De ce maitre du temps
Qui nous afflige en nous aimant...

MIDI

De lourds rochers aux formes arrondies
Paissent sur l'herbe sèche
Comme un troupeau d'éléphants gris.

C'est l'heure où les vautours arrondissent leur danse
Et viennent s'appuyer sur l'aile du silence.

Il est Midi.
L'heure où la vie s'abandonne,
Où l'ombre rétrécit,
Où les volets se ferment,
Où la ferme blanchit,
Où les moutons engourdis,
Se groupent, s'amassent, s'ordonnent,
Et s'édredonnent.

NÉCESSAIRE

Je te peau douce et te fossette.
Je te push up,
Et te pommette.

Moi qui n'en reviens pas
Tellement que tu es belle,
Je te suis pas à pas,
Et toi tu m'embretelles,
Tu m'embarbouilles
Et me méprises,
Alors que je suis là
Comme si que j'aimais ça.

Je m'ourle sur tes lèvres,
M'ombre sur tes paupières,
Glosse sur tes cheveux,
Et je te roll on yeux.

Je t'élastine,
Te collagène,
Je t'endorphine
Et t'exogène.

Je suis ton nécessaire,
Mais tu ne m'aime plus,
Je suis ton courant d'air,
Parfum de superflus.

NOCTURNE

Des nuages puissants, hauts comme des falaises,
De lourds nuages montés en neige,
S'imprègnent du couchant
Pour rougir l'horizon.

La nuit, d'un pas feutré, étire son mystère,
Et l'édredon céleste vient recouvrir la terre.

Ce soir sera sans bruit,
Silencieux, assourdi,
Enfloconné de nues,
Enrobé de secrets.

La nature s'endort,
Et la lumière fuit,
Et la porte se ferme.

C'est l'empire de la nuit.

NOUVEAU CREDO

Dans un monde où l'enseignant est méprisé,
Dans un monde où le soignant est un laquais,
Où l'Artiste est un accessit,
Où le Bon et le Beau ne sont plus des espoirs,

Il reste le commerce, l'argent,
Qui fait croire au pouvoir,
Qui sonne et qui trébuche
Qui rend veule et couard,
Méchant, arrogant, goguenard,
... sans savoir...

PRINTEMPS 1

Janvier est le mois des envies,
Février a la fièvre,
Mars coupe comme le vent,
Avril résonne comme le coup de sonnette du Printemps.

IL fait un temps crémeux,
Un jour d'un blanc laiteux.
Le soleil s'est levé partout à la fois au-dessus de la brume, créant un horizon à chaque pas.
Dans ce ciel diaphane pleuvent des pétales blancs et roses arrachés aux arbres amoureux,
et dans l'air immobile, le rouge gorge trille des menaces envers un concurrent qui n'est pas encore là.

Je vais prendre mon temps,
Ce matin sent le pain grillé et le beurre enrichi d'oméga 3.

PRINTEMPS 2

Comme un jupon précieux
Posé sur la lumière,
Comme un parfum d'étoile
Mêlé de terre humide,
Des cerisiers en fleurs
Rougis par le couchant
Essaiment leur couleur
En pluie, sur les passants.

Passe un voile d'ombrelle,
Une soie,
Passe une demoiselle,
Un émoi,
Et les arbres frémissent
Tant la lumière tremble.

Au Japon refleuri.
Les Dieux sont toujours là,
Dans les jardins d'Hiroshima.

QUINZE AOÛT

Les bobs s'affaissent,
Les tongs trainent,
Les ventres se moulent de rayures,
Et les frites se prennent pour des éperlans.

Les lunettes font des têtes d'insecte à des crânes rasés,
Les tee shirts débordent de chair fluctuante,
Les shorts s'enguibollent,
Les langues s'engluent et s'alanguissent sur les cornets de glace,
Les terrasses parassolent des tubes,
Les peaux s'encrèment,
L'estivant se haillonne, se dépareille, se disparate,
S'éparpille et se distrait d'un rien entre son siège et sa glacière.
Il y a du bras à la portière,
il y a du vélobio,
il y a du piéton par troupeaux,
il y a de la paresse et du laisser-aller...

La moule règne,
L'océan se retient,
Et le soleil chuchote qu'il garde septembre pour nous...

SOLITUDE

" Vous n'avez pas de nouveau message,"
répète l'écran noir.

Seule devant l'écran vide où se perd son regard.
Seule sur la plage de juillet,
Perdue parmi la foule et dans sa solitude
Consultant ses messages comme par habitude,
Elle attend je ne sais quel amour passé,
Une attention, un sentiment, une attache,
Qui lui permette d'espérer.

Mais l'écran reste noir
Sous ses yeux embués.

Dans un geste tragique,
Levant les mains en forme de supplique,
Elle se flashe,
Et peut se regarder,
Verser des larmes numériques.

SOUVENIRS DANS LES ÉTOILES

La mer de Cortez, grand canyon immergé,
Se fait tendre et rugueuse en ses bords déchirés.
Parsemée d'iles et de cailloux,
Peuplée de pélicans, de fous,
De lions de mer, de baleines, de légendes,
Elle soupire des mots, à qui veut les entendre.

C'est la nuit en Basse Californie.

Dans l'eau flottent des milliers d'étoiles,
L'air est doux, chargé de la terre ocre et chaude
Qui vient du continent.

Le clapot a changé,
Je sens le vent qui tourne,
Et Pierre qui se lève.

A poil sous la lune,
En tenant les haubans,
On se boit une bière
Debout sur le balcon,
Et pissons des étoiles
Au milieu du plancton.

TES YEUX

Tes yeux me disent des paroles
Qui ne sont pas des mots.
Tes yeux me parlent,
Sans prononcer de son.

Tes yeux peuvent faire de la mousse
S'écrémer, s'alanguir, s'assouplir,
S'étirer, s'ennuyer, s'éternir,
S'envenimer, s'envoler, s'éblouir,
S'évertuer, s'insinuer, s'adoucir,
S'évaporer, s'enthousiasmer, sourire...

Tes yeux peuvent flamber, pétiller,
Artificier, s'envolcaner, s'interdire,
Porter un masque, se contredire,
Me mentir ??
S'enlarmer, souffrir,
Me dévorer, me haïr,
Se lézarder, s'enfuir,
Me deviner, me faire rougir,
M'embarrasser, m'attendrir,
Me cajoler, me pétrir,
M'engomminer, m'enjolir...

Tu étincelles, tu mystèrises,
Tu fais celle qui sait et le garde pour soi,

Et ce silence m'électrise,
Moi qui ne sais rien de toi,
Blottie dans ton silence
Bien en face de moi,
Avec tes yeux de chat.

TIEDEUR

Glaçon sous les tropiques,
Ou bien tison sur la banquise.
La tiédeur est comme un pain mal cuit,
Comme un demi-tarif ou comme un strapontin,
Comme un amour déçu,
Comme un sommier fourbu,
Comme un billet retour,
Comme un soleil voilé,
Comme manger sans faim, avoir sans convoitise,
Comme une vie sans rire, une religion sans Dieu,
Une pleine lune sans nuit...

VÉLO

J'aime les filles à vélo,
Quand elles nous offrent leur sourire,
Comme une énigme ou une extase,
En se moquant des gens qui passent
Et les voient prendre du plaisir
A pédaler, jusqu'à frémir.

Alors qu'elles roulent le bitume,
Elles croient de leurs yeux horizons,
Voir, dans un jaillissement d'écume
Surgir le char d'Apollon.

En front de mer,
À fleur de selle,
J'adore les filles à vélo
Qui font du sport au bord de l'eau,
À fleur de peau.

Traits de plume

BAUDET DU POITOU

Les pattes bien raides, le dos bien droit, le front abrupt et plat comme une enclume, sa silhouette s'inscrit dans un rectangle gris sur le bocage.

Avec sa houppelande effilochée et ses touffes sur les sabots, il est loin de ses cousins, bourricots andalous et ânes sarrazins en gilet bleu palombe, qui sont venus, jadis, se casser les pattes aux marches du Poitou.

Poitevin méfiant, je sais qu'il me regarde et me juge, alors que je l'observe.

Baudet rugueux, hirsute, bourru, et dur comme une planche, économe et secret, il se rêve peluche entourée de mots tendres.

C'EST POSSIBLE

Fêlure de l'âme,
Vallée entre les monts de la passion et de la cupidité,

Repli protégé des vents et des tourments,

Ouverture de l'ombre à la lumière,

Eternité aperçue un instant, le bonheur est un souffle qui passe et qui traverse, ne laissant pas de trace sur l'horizon flamboyant de la vie.

" Comment cela s'appelle-t-il, quand le jour se lève et que tout est gâché, que tout est saccagé, et que l'air pourtant se respire, et qu'on a tout perdu, que la ville brûle, que les innocents s'entretuent ? "
Un mendiant répond,

"Cela porte un très beau nom... Cela s'appelle l'aurore... "

Jean Giraudoux : Electre

CHEZ MICHOU

Tatie Craven était plate, longue, fine, s'ouvrant avec délicatesse dans un frémissement de papier d'argent, comme les Craven A qu'elle fumait avec beaucoup d'arabesques, souvent alanguie, abandonnée, consolant de ses lèvres d'aristocrate le faux papier filtre semé de taches de rousseur.
Elle semblait lointaine, assoupie, comme un chat à l'affût, cachant derrière ses paupières et son sourire, son instinct, sa patience, sa fulgurance, sa sauvagerie.

Tonton macoute était le parvenu bien arrivé, dont le plaisir consistait à étaler sa puissance. Il promenait en transpirant, sa rondeur, sa virilité poilue et sombre, et l'importance parfumée de sa réussite.

Ils nous avaient hissés de la plage de Royan à l'ile de la Cité, dans cet appartement fait de laques, de miroirs, de Modigliani, de chaine stéréo invisible, de draperies belles et soyeuses comme des muqueuses...

Nous allons Chez Michou....
Vous ne connaissez pas Chez Michououou ??? Nous disaient leurs amis venus pour visiter les deux plagistes en jean et chemisette, deux bons sauvages ayant abandonnés leurs pagnes à Saint Lazare...mais dont le bronzage faisait référence et inspirait le respect.

Michou, ce sont des mecs… Nous étions prévenus… Mais ce mec, … aussi belle que la vraie Marilyn, ondulante, blonde, à la peau laiteuse et transparente, ce mec dis-je, aux lèvres gonflées d'amour, à la cuisse opprimée dans la résille, est venue, sans doute avait-elle senti qu'elle me subjuguait, est venue me faire Poupoupidou…
Et je me foutais bien qu'elle fût un homme… !!!

Au cours de la nuit, j'ai été surpris, nu, à la porte du frigo, par une Tatie Craven nue, longue, fine, qui m'a abreuvé de ses façons de chatte et de Princesse égyptienne, dans la lueur et la fraîcheur d'un frigo entrouvert et complice…

Au matin Tonton macoute était déjà parti.
Nous avons lapé nos bols de lait en silence,
Il était temps de prendre le train vers nos plages, nos pagnes, nos pédalos, et de disserter sur les apparences, la vérité, et la douceur des tentures de Tatie…

CLIGNEMENT DE NUIT

Le soleil est furieux, bouillonnant,
Il gonfle, résiste, et ne veut pas...
Et je l'entends gronder, jeter ses éruptions autour de sa couronne.
Impuissant dans son déclin, son rougeoiement est comme un cri d'adieu :
Soyez sur vos gardes... Je reviendrai.!!...
L'horizon palpite de son passage en rase mottes,
Les derniers oiseaux se hâtent vers leurs refuges,
Les pharmacies clignotent pour sauver le monde,
Les églises ferment,... le cinéma commence...

CONSTIPATION

Ce faisant, il affirma :
- " C'est soit un petit gaz, soit une grosse merde ...!!! "

La constipation est une forme d'espérance.

DE DIEU

Dire " Dieu Merci ", est une façon d'être content de sa misère.
C'est comme être heureux et béat,
C'est ne pas voir sa mère ne faisant plus un pas,
escortée, solitaire, par un vieux chien qui ne voit pas...
Mon Père, je m'accuse de n'avoir pas assez péché par actions, et beaucoup trop par pensées et par omission...
Je prends la ferme résolution, avec le secours de votre Sainte Grâce, de faire que mes actions toujours me satisfassent, faisant de la morale comme un tour de passe-passe... Amen...

Quand on n'est pas sûr de ses convictions, on en fait des règles :
Bien droites, bien strictes, bien dures :
à connaitre sur le bout des doigts,
à respecter sur le bout des doigts,
à taper sur le bout des doigts...

DICTATEUR

Que serait le monde sans un sauveur ?...
Un projet sans avenir !!!

Le seul véritable sauveur, le seul possible, sinon certain, s'est autoproclamé dès le début, créant ainsi la première dictature…
Comme les dictateurs, il édicte ses lois, quiconque s'en écarte le paye de sa vie, et nulle supplique ne peut infléchir ses décisions, alors que nous passons notre vie à payer son tribu.
Et là je dis bravo, bien joué ; tu inventes le jeu, les règles, et c'est toi qui joues… C'est tellement facile que ça n'en est pas drôle.
Parfois, j'ai d'ailleurs l'impression que ce dictateur capricieux ne joue plus, lassé qu'il est du déroulement tellement prévisible de la partie dont il a tiré toutes les billes…
Difficile d'avoir la foi dans ces conditions…
Reste-t-il au moins une espérance ??
Où est-ce une façon de ne pas passer par la case départ, et de ne pas toucher 20 000 $ en allant directement en prison ??

EXTRA VIERGE

Miraculeux !
L'huile d'olive est devenue vierge !
Sans doute par la grâce d'Isabelle la catholique et tous les Saints, des huiles douteuses ont pu s'offrir une virginité.

Mieux encore, et certainement par l'intervention du Saint Esprit et de quelques Indulgences, elle est devenue Extra Vierge...
Ce qui laisse planer un doute sur la virginité ordinaire, et les vertus dépuratives de l'Inquisition...

FAUT PAS RÊVER

J'ai trouvé cet enfant vêtu de rayures rouges au bord de l'eau, pleurant et appelant sa mère.
Elle accourt, s'en empare, le cache et l'étreint sur sa poitrine entre ses bras, comme pour le voler.
Il se laisse bercer, s'enfonce avec délice dans le sein maternel tandis qu'elle feule des mots d'amour, lui dévorant le cou et le visage du bout des lèvres et des dents, comme pour le punir en le remerciant, comme pour s'en repaître, le dévorer pour mieux le protéger.
 - "Merci"
dit-elle en me dévisageant, radieuse, phosphorescente, sur fond de ciel d'orage.
Je n'ose pas avouer que je comprends à cet instant le lion qui déchire les petits de sa lionne, assumant sa jalousie, son impatience, et sa brutalité.
Je reste muet... D'un silence assourdissant, meublé de bruits de plage, de sifflets, du rythme des ressacs, avec le vent qui tourbillonne et me pique les jambes ...
Mon cœur bat plus fort que le vent, elle doit l'entendre...
Mon désir fulgurant me fait rêver d'audaces,... Elle doit savoir que je voudrais l'enlacer, et rouler sur le sable jusqu'à l'écume du rivage pour un baiser en noir et blanc aussi long qu'une plage du pacifique...
Mais je reste muet... héros et témoin dérisoire de retrouvailles de félins, comme il y en a tant dans la jungle des plages ...

Et je reste seul dans la salle obscure de mon imaginaire.

FERRARI

Casquette Ferrari vissée en biais sur sa tête d'oiseau, gilet à damier noir et blanc, je l'ai surnommé "Grand Prix" ... Pantalon de jogging tri-bandes, et chaussettes bi-bandes, il sort chaque matin campé comme un marin dans la bourrasque, luttant contre le vent et la houle, jambes écartées, le cabas roulé sous un bras, il passe, remorqué par son chien de halage.

Une heure plus tard, les bouteilles sonnent et tintent comme un tramway dans son cabas, et de son bras tendu il suit l'animal devenu responsable de son retour chaotique.

- " Je m'arrête pas "

dit-il " il faut que je marche " le docteur m'a dit ... !!!
Et il s'éloigne... Guidé par son robot.

Le maître et le chien, unis à tout jamais par le lien ténu sur lequel le chien tire, font qu'on peut se demander lequel, un jour, a été chercher l'autre derrière des grilles.

Permanente ratée sur une calvitie naissante, l'animal mène l'équipage,...
Et je les rêve à l'arrivée de la transcanadienne...

FOIRE DE JUIN

Il y a des tissus péruviens qui battent comme des drapeaux, de la flûte des Andes, des masques africains fabriqués à Bamako sur creuse, des statues Dogon de Hongkong, des chichis, des jupes à franges, des teeshirts distendus par la bière, des auréoles sous les bras, des épaules, des cuisses, des enfants en poussettes, et des filles qui marchent vite alors qu'il fait si chaud, et qui promènent sous le nez des badauds de quoi ouvrir une boulangerie.....

Il est 14 h 40 ; le premier juin, jour de foire mensuelle, les hommes sont harassés et les filles trépidantes.
Les filles ne connaissent pas la crise, et continuent leur entreprise de colonisation avec ténacité, audace, arrogance, impudeur, se faisant tour à tour complices, provocantes, inquisitrices, institutrices, dominatrices, sur un peuple de mâles assis, transpirants, bedonnants, désespérants et soumis.

GOLF HÔTEL

La nuit est tombée, et la chaleur est immobile.

Dans la lumière feutrée des salons, des Anglais font assaut d'élégance et le whisky s'écoule en bruits de gorge et de glaçons.

Leurs type E luisantes, vernies, et belles comme des galets humides se reposent sur les pelouses.

Il y a des rires sur fond de piano bar, et le parfum ostentatoire de l'after shave et du cigare.

Il y a des hommes en jaquettes, étalant leur puissance et leur circonférence dans des éclats de chaînes en or, des femmes portant l'assurance de leur fortune, et des filles vêtues de rien dont les rires résonnent sur le marbre agressé par les talons aiguilles.

À quinze ans, jeune groom en veste rouge, je perçois de tous mes sens étonnés cette ambiance d'opulence et de luxe, alors qu'à mes pieds l'océan s'étire pour capturer les lumières de la nuit.

C'est le dernier soir. Louis, le majordome, m'offre un whisky et un cigare bagué d'or sur un plateau d'argent, m'installant comme si j'étais un prince ;

- "Fume et bois ,... car ce soir tu es riche !!"
dit-il en riant.

Je fume, poursuivant mon rêve de fortune dans les volutes au goût sauvage, je bois, plongeant mes lèvres dans un mythe en technicolor...

Les lumières de la corniche se mettent à vaciller dans cette nuit très calme ...
Je vais être malade !!

HAMMAM

Ereinté et poussiéreux, la vapeur m'entoure et me drape sur le banc de marbre brûlant.
La fontaine bruisse d'une tonalité fraîche et mes lunettes sont revêtues d'un voile nuageux, comme mon regard quand je les enlève.

Hammam… comme le cri d'un enfant vers sa mère
Hammam… clair-obscur mystérieux entre l'eau
et le feu...

Je sens bien qu'elles sont nues sans les voir, juste par les sons qui me viennent de l'autre côté de la fontaine.
Elles parlent et rient pendant qu'elles se lavent en s'ébrouant de bruits humides de savon, de linge, de chair nue sur le marbre ruisselant.
Je reconnais le cri feutré d'un rasoir sur la peau, des rires, des exclamations, des chuchotements, et le jet d'eau fait ce qu'il peut pour me distraire et dissiper la brume.

En cette fin de journée, à Ouarzazate, je me prends pour un prince d'Orient…

HIVER

Il est minable ... Fini.
Il s'est couché en titubant, et il se lève tard.
Tout pâle, il s'arrache avec peine des nuées incertaines de la nuit.
Encore une journée à suivre l'horizon et sa bande de brume qui traine au ras du sol.
Dans ce jour qui commence, il va déjà vers le coucher, tellement usé, tellement faible, au sortir d'un été torride... et de nuits blanches.

Bientôt il grimpera au firmament, et la nature, étonnée, chantera à nouveau ses louanges, comme au premier printemps .
Pourvu que ça dure...

JUILLET

La lumière s'épaissit,
et les couleurs suffoquent sous le soleil.

Les talus chardonnent, graminent et liseronnent.
Les cerisiers payent le tribu de leur exubérance fruitière de leurs feuilles qui se lamentent et pleurent.
Les premiers tournesols éclaboussent la campagne de leur éclat,
Les blés orgueilleux ploient sous le poids des épis, cachant leur opulence sous une blondeur un peu fanée, et l'œil malin du paysan terne et humble dans son habit de rien, guette du coin du champ l'instant du profit maximum.

- " C'est quoi le profit ?
C'est ce qu'il y a jamais assez ! ... "
disait ma grand-mère...

JUSTE UN DOIGT

Depuis trois jours que j'ai une braise dans l'anus et que je pisse avec un lance flamme entre deux pics de température, je me suis résigné et me suis déplissé l'œillet pour être bien propre.
Juste un doigt, pile dedans. Et mon ami Martial m'expédie faire une écho...

Echographie vessie prostate:
J'ai bien rempli ma vessie et me suis encore une fois bien déplissé et fourbi l'anus, histoire de ne pas être à mon désavantage devant ma consœur.
Consœur... Maintenant que je sais ce qu'elle va me faire, je considère le mot tout différemment... Mais la réalité est là.
La sonde rectale n'est pas très grosse, dit-elle en enfilant une capote XL sur l'engin qu'elle tient comme une duchesse le ferait d'une flûte de champagne.
Sa voix est agréable, elle semble confiante, la pénombre pudique, et je me dis que " compte à rebours " est le juste mot pour mon avenir proche.
Elle bavarde, me graisse un peu, et me conseille de respirer avec le ventre...

Entre deux hurlements où je pense à mon chien, je me demande si mes pupilles sont dilatées, et je lui dis que j'ai confiance, et que si elle a cinq minutes on pourrait changer...

Elle me libère, je me sens tout vide, avec un léger vertige. La dépression du post partum me guette, je trouve ça assez chic et je sifflote " Oh Baby Blues ..."
Gentiment, elle me tend une poignée de sopalin :

- " Essuyez-vous " dit-elle

C'est un peu rêche pour des larmes...

KHANKALILI

Le soleil de juin a dévoré sa peau, et elle rougeoie, rayonne, irradie à l'heure du couchant.
Rouge et douloureuse, elle porte avec la fierté d'une princesse indoue une robe en lamé scintillant des folies bergères et un parfum souvenir du marché du Caire.

Dans le sillage chargé d'effluves tenaces, son esclave financier suit, le dos vouté.
Je sens qu'il aime la lecture, l'ombre, et cette discrétion qui fait la véritable élégance des riches.
La grande aubergine et le petit mulot s'installent .
Elle parade, il s'estompe.
Elle exulte et triomphe, il s'étiole.
Elle le domine et l'écrase, il souffre et se tait.
Elle l'ignore,
Je vois bien qu'il l'aime…

L'ART DE RIEN

Bonjour Paris, bonjour les studios, ici Jean Claude Cassen qui vous commente en direct le passage du cortège officiel sur la route secrète qui n'est pas du tout celle où je me trouve.
Comme vous le voyez, je suis au carrefour du chemin des chaumes et du sentier littoral où la circulation a été modifiée par un événement qui doit se passer plus loin.
La route est donc déserte, et on peut remarquer que le bitume est à peine humide alors qu'il est presque 10 heures du matin et que la nuit a été fraiche.
A tout moment, si un événement survient, je reprendrai l'antenne pour le commenter en direct, bien que ce soit de plus en plus improbable.
Un habitant du hameau me confiait d'ailleurs, il y a peu, que la circulation est ordinairement si faible, que même les aveugles traversent sans regarder .

Ici Jean Claude Cassen, en direct de la côte de Tire Cul qui décidément est bien mal nommée puisqu'il s'agit essentiellement d'une descente très raide.
" Pour reporters sans matière, à vous les studios."

L'ARTISTE

Je voudrais écrire comme elle peint,
Je voudrais savoir d'un trait redessiner un monde,
une forme, un chant, un parfum.

Le trait, comme l'onde de la voix, qui peut tout dire sans prononcer le mot,
Un bel canto sur toile, une plainte ou le bruit familier,
Un sanglot.

Je voudrais d'une large spatule, enduire, recouvrir, moduler, superposer des mots et des sons pour qu'à travers eux transparaissent un regard, une émotion, comme une vibration.

Je voudrais qu'à travers un mot, un son, surgissent un rythme, un spectre, ou une mélodie, capables de bercer les angoisses, de calmer les pleurs, et d'élever les âmes.

L'URINOIR ANDALOU

Chez nous, l'urinoir est un lieu écarté où l'homme debout pisse en vitesse dans un pot de chambre fixé au mur.
Ça sent l'urine, le mégot, le graffiti, la hâte, et chacun s'en échappe au plus vite, la braguette encore fumante d'un délit qui est parfois de fuite...

L'urinoir Andalou vous accueille dans le marbre poli. Murs et sol respirent la bienvenue, le luxe, le calme, et les caballeros entrent dans ce salon comme dans un boudoir pour s'installer entres les bras ouverts de ces sculptures en forme d'orchidée, vous offrant l'espace et le repos dans leur pistil de faïence et de chrome.
On s'arrête, on prend son temps, on se parle, les braguettes se referment sans fébrilité, les zips sont apaisés, et l'homme, soulagé du tracas de la goutte furtive peut se laver les mains, se mouiller les cheveux, vérifier son profil, rentrer le ventre, et sortir en disant Adioooss…

LA CHARMEUSE

Penchée vers moi, la grosse femme m'enveloppe dans l'abondance de sa chair lumineuse.
Elle a la bouche écarlate d'une poupée chinoise, ses bras sculptent des nuages, et ses mains imitent les oiseaux, parées de bagues et de signes d'amour.
Elle sent bon, et me comble d'une flûte de mousseux et d'un toast au parfum d'aventure...

- " Comme je vous l'expliquais,"
roucoule-t-elle dans le collier de perles qui franchit les cascades de son cou, " ces projets immobiliers sont réservés à des privilégiés présentant une surface financière suffisante.... Nous nous chargeons de tout, étant bien entendu que notre formule promotionnelle d'achat sur plan, vous permet de cumuler des avantages financiers, fiscaux, successoraux, avec un rendement locatif garanti... ; "
Elle s'anime, virevolte, me frôle de ses doigts dodus comme des mignardises charcutières.
Elle me charme, m'englobe, me circonvient, me paralyse, m'anesthésie, grande bourgeoise usant de toutes ses facettes pour me dire que je suis beau, séduisant, puissant comme le Sultan d'Oman, et elle me fait comprendre qu'elle sera à jamais mon esclave, ma couveuse, ma marchande de Venise, ma soyeuse de Samarcande, recluse éternelle derrière un moucharabieh

de vermeil... veillant sur mon repos et ma fortune... à l'abri des tracas quotidiens et des mesquineries caravanières...
Comme une servante docile et parfumée, elle dispose le formulaire et le stylet qui doit sceller notre avenir...
Je vois frémir sa lèvre dans une moue gourmande.

Je ne suis plus qu'un serpent d'une place maghrébine, et j'oscille dans mon panier d'osier, captif de ses yeux ses mains et son regard...
Je dois rompre le charme :
 - " Si je comprends bien," dis-je , " je paie d'avance, je ferme les yeux, j'attends, et je fais fortune... "
 - " Absolument " ondule-t-elle. " un minimum de tracas, un maximum de rentabilité... C'est une faveur que l'on réserve à ceux qui comme vous, avez la surface financière... etc. ".... Mais je n'écoute plus :
 - " Je dois vous avouer, chère Madame, que je n'ai pas la surface financière dont vous m'honorez, mais, et c'est un compliment, vous en avez la circonférence... "

Il y a comme un bruit de bijoux offusqués, le bruit d'un au revoir, et elle s'éloigne, montgolfière poussée par le vent...
Je sors, et je me dis que je n'aurai jamais de vacances éternelles au soleil...
Pourtant, je suis juste en face l'église,... Mais je n'y rentre pas non plus...

LA CONSPIRATION DES POUBELLES

Dans la complicité des nuits, et dans des recoins sombres, protégées des regards, chacun les ignore, passe en pressant le pas, et va y déposer d'un geste naturel son noir paquet de souvenirs.

Depuis quelques temps, dans l'ombre, je vois bien qu'elles s'agitent et se regroupent, se côtoyant d'un air naturel, se figeant au moindre regard dans l'attitude des chanteuses de chorale, le cou tendu vers le ciel, la bouche grande ouverte sur une note noire et silencieuse.
On dirait qu'elles répètent en secret un chant révolutionnaire où la noirceur de leur destin les porte enfin vers les honneurs et les richesses dont elles ont été éloignées par la volonté des hommes.
Je sais qu'elles chuchotent et conspirent toutes les nuits, et que la rébellion éclatera bientôt.
Elles, qui ont dû tout accepter, et recevoir le pire, le rebut, sans mot dire , viennent de remporter leur première victoire vers la reconnaissance :
Celle du tri sélectif.

Personne n'y a pris garde; Le tri sélectif s'est immiscé dans notre vie et notre inconscient comme une attitude citoyenne, bienfaisante, équitable, sociale, et catholique...

Pourtant quels mots terribles... " Tri sélectif " ... !!
Je vois des gares et des trains, des trajets obligatoires par couleur, sexe, âge, profession,... religion.... Et le grand incinérateur qui fonctionne sans relâche ne doit pas s'arrêter...
Avec leurs allures de conspirateurs, elles me rappellent l'exode, les hébreux, la gestapo, et l'homme chassé du paradis.
Ca ne durera pas. Déjà, en silence, elles ont pris une importance dont elles ont conscience. On ne peut plus se passer d'elles, et elles le savent, et peu à peu imposent leur loi.
Et moi, qui les entend conspirer dans la nuit, je sais que leur vengeance sera terrible.

LA FOUINE

Depuis quelques jours, nous n'avons pas vu notre lapin, le lapereau brouteur de pétales et d'herbe tendre qui nous faisait des yeux d'enfants dans la rosée du matin. Avec ses yeux immenses, largement plus grands que sa tête abrupte reliée au corps par un cou gracile, il avait un aspect enfantin et inachevé.
En vain, nous avons hélé : " Lapin ? Lapin ? " ...
Pas de réponse ...
Le silence ... l'absence.
Bien sûr il nous reste à contempler les palombes dodues comme des pubs de rôtissoire, les tourterelles couleur de désert, les étourneaux effrontés, les pies sorcières et méchantes, les gros becs en tenue de gala, les chardonnerets venant prendre le bain en famille, les geais surgissant sur leurs bécanes chromées pour razzier le pain dur, les mésanges et les pouillots véloces... mais de lapin... point.
Cette nuit, j'ai vu passer une ombre furtive, ondulante et rapide, fluide et silencieuse comme un reptile, sombre comme un boudin flexible, poilue comme un lave bouteille, s'effilant en une longue queue, et une petite tête en triangle étonné sur une collerette blanche.
Cette mangeuse de lapin est d'une beauté dangereuse et sauvage...
C'est vrai aussi qu'elle ressemble à un col de fourrure !

LA LINGETTE ET LE POT AUX ROSES

Nous vivons une époque où il n'est ni permis ni correct de humer ou d'olfacter nos semblables, narines épanouies et cueilleuses d'effluves qui racontent une vie, comme un plat fumant peut raconter l'alchimie culinaire et l'humeur d'un cuisinier.
Il fut un temps, il y a peu, je m'en souviens,... où la bergère sentait le mouton, la crémière l'aigreur douce du petit lait, l'alsacienne le chou, l'anglaise la panse de brebis, l'américaine le ketchup, et l'eostrus le bord de mer...
Il fut un temps où les "sentiments", réalités olfactives, émettaient des messages hormonaux capables de transmettre la peur, la joie, l'amour, le désir, le rut...
Un temps où mes narines attentives pouvaient, en un parcours que j'appelais "naseau fûté", recueillir sur les corps innocents de mes copines, des sentiments de crainte, d'abandon, de conflit,... avec des références de fleurs, d'arbres, de montagnes sylvestres, de plages écumantes, de bigorneaux, de mouettes, de serpolet, de kebab, de safran, et de poivre vanillé.
Nous avions un code d'appellations contrôlées pour identifier nos amies, qui s'en amusaient, faussement inconscientes de l'effet que cela produisait sur nos usines à fantasmes... Abricot chantilly, pain d'épice, caramel salé, citron vert, mangue... qui affolaient nos hypothalamus adolescents...

Et puis, chicorée lardons, pomme de pin, brise marine, grand coeff, la Coubre, le Platin, Bamako...

De marketing en benchmarking, de pubs en slogans, les boulangeries nous appâtent avec des arômes artificiels de viennoiserie et de fringale, mon After-shave Fahrenheit me fabrique un profil de savane et de grand voyageur, les femmes ne sont vêtues que de Numéro 5, nudité, marque, et prix inclus, et les promenades en ville par vent debout sont devenues un louvoiement d'effluves artificielles, agressives, et pompeuses.

Plus sournoises encore, les Lingettes... avec ce nom tout mignon, féminin, intime... la « Lingette au cas où », capable de préserver la fraicheur des lunettes et des muqueuses fragiles, redonnant l'éclat du neuf aux casseroles et aux vestibules, du Mr Propre pour nanas, qui du coup, et du goût... sentent toutes le produit phare de l'année, gagnant en assurance ce qu'elles perdent en tropicalité...

Je vais vous dire : Ne vous laissez pas dévorer par les facilités d'une intimité internationale et standardisée; Continuez d'animer nos cerveaux reptiliens de vos fumets nuageux, de vos évocations inconscientes, de vos sillages nimbés de mystères, avant que cette authenticité ne devienne l'objet de safaris touristiques et nostalgiques.

LA PETITE PESTE

Elle descend par la sixième porte de la Mercedes noire.
Les vitres sont fumées, le chauffeur en tenue.
Je vois sa jambe s'étirer vers le sol.
Une chaussette blanche hisse son volant de dentelle hors d'un escarpin immaculé.
La robe est juponnée, les gants sont assortis,
Et le chapeau tressé de paille blanche.

Elle froufroute et marche à pattes raides, claquant du pas,
Martelant avec rage cette arrogance juste sortie de l'adolescence.
C'est Alice au pays des merveilles, Cendrillon, Bécassine...
Une porcelaine blanche de marquise.
Elle fait claquer son pas,
Et ses seins frémissent à peine de son pas de guerrière...
Et je me dis que la colère durcit les seins des filles.

Pour être sûre que ses bagages suivent, la petite peste se retourne et vérifie sans me voir que ses gens s'en occupent.
Son regard me traverse, petit groom en veste rouge,
Et je rêve d'être noir, crépu, musicien, trompettiste, et de l'accueillir :

- " Oh Mam'zelle Scarlett ... !"

LA PETITE VIEILLE

Elle a mangé sa soupe au lait, et la nuit est tombée.
Elle est propre, et la mort peut venir.
Dans sa chemise de nuit bien lourde, inclinée vers l'avant, les bras un peu figés,
Elle va à petits pas, et regarde ses pieds incertains la mener vers sa couche.
Elle y incline son corps globuleux comme une poire oblique, s'allonge et referme les draps.
Sa main cherche la chandelle, trouve l'interrupteur,...
C'est fini...

LA RECETTE DU MARAIS

L'air est chaud, et dans un ciel de plomb St Romain de Benêt a caché sa kippa derrière son clocher.
Je passe rue de l'arc en ciel,
La Limogeasse,
Prouafaire,
Anecuit...
La moiteur de l'air me caresse la joue comme une lèvre tiède.
Les coquelicots gouttent sur les talus à l'entrée du marais,
Leurs pétales violents semblant défier l'orage.

Le marais, disait ma grand-mère, c'est comme le pain perdu :
Tu prends des bouts de terre bons à jeter, (comme le pain),
Tu les trempes dans l'océan, (comme dans du lait),
Et tu les fais revenir au soleil, (comme dans du beurre).

Mais finis d'abord ton assiette... !

LA TRAVERSÉE

L'unique rue du village se nomme " Rue du village " et mène d'un rond-point où il n'y a qu'une voie, à l'autre rond-point.
La zone 30 ponctuée de ralentisseurs, évoque une éventuelle cohue aux heures fatidiques des jours fatidiques où il y a école.
De larges panneaux s'imposent au regard et répondent judicieusement au questionnement improbable d'un passant:
- Mini déchetterie : Trois containers criant leur désespoir de leurs gueules béantes et affamées
- Salle communale : Qui assure sa revanche sur la paroissiale en ruine,
- Aire de loisirs : Qui indique un chemin que mon GPS ne connait pas .....
- " Faites demi-tour dès que possible " me dit sa voix qui n'a rien de rassurant .

Il fait gris, et le ciel a la couleur de la route ;
Les volets se sont clos sur des consanguinités secrètes,
Nous sommes perdus entre Gibourne et Guignefolle, et nous sentons rôder la peur...

Souvenirs d'une traversée du marais
Entre chien et loup
En solitaire

LA VIERGE À L'ENFANT

C'est un tableau de Léonard de Vinci,
C'est une grâce divine,
Le fruit de ses entrailles est béni.

Elle est là, figée dans un geste d'amour infini, regardant son enfant, la tête inclinée vers lui, ses mains soutenant son corps et la coupe de son crâne comme un calice.
Je n'entends pas ce qu'elle dit, ou murmure, ou fredonne, mais je vois l'enfant plonger dans son regard et se nourrir du ruisseau d'amour qui les lie.
Elle est belle,
Il est heureux.
Et je contemple, comme dans une prière, l'incarnation divine d'un maître Italien, la statue d'une offrande éternelle, l'immaculée conception...

Il arrive, le caddy débordant.
Elle court vers lui, allume une cigarette, et l'enfant sous un bras, l'aide à ranger les bières.
Ils s'évaporent en un nuage de tabac, de gasoil, et d'alcool...

Je rêvais d'une parthénogenèse céleste,
Ce n'était qu'une éjaculation précoce...

LE BANQUIER

Avec deux jours d'anticipation sur les débits et deux jours de retard sur les crédits, ma banque, la mienne depuis trente-cinq ans pendant lesquels j'ai mis au pot sans jamais être débiteur,
" Ma banque ", dis-je, puisque je suis en partie responsable de son opulence, Ma Banque donc, m'a compté des agios sur un mouvement de fonds au sein de la même banque, car je n'en ai qu'une, la mienne...

Il est bien mis, col impeccable, dents soignées, pédicure, aftershave, Head and Shoulders, alliance, gourmette, cirage, ceinture en croco...
Installé dans son bureau design avec goutte de convivialité, il pianote d'un air qui m'agace sur le plaquage en bois d'une des dernières forêts de Bornéo...

Mon raisonnement est carré, sans préliminaire, et je lui explique mon sentiment, qui n'est pas en faveur de ceux qui usent et abusent de l'usure, envers des innocents qui ne demandent qu'à disposer librement de leurs finances... Et que l'usure a été longtemps un péché... Et qu'il va m'effacer ça vite fait de ma colonne débit...

Il se penche vers moi, d'un air gentil, comme si je

l'aimais bien, et me susurre que je raisonne comme un toubib... Et que je ne sais rien des flux financiers qui me préoccupent, ni de leur régulation informatique !!!
Je le laisse s'enferrer dans les constats de mon incompétence, de mon inexistence, de mon peu de poids financier, m'infligeant sa condescendance avec ses yeux de computer.

« Je veux bien être traité de Toubib, ça n'est pas une insulte, » lui dis-je, « mais vous n'êtes qu'un banquier, et ça, c'en est une !! Reconnaissez que vous avez un rapport un peu crochu avec mon argent... » Et pour lui prouver que je connais quelques mots abscons, je lui avoue qu'il me crispe le périnée, et que la fréquentation des philistins me donne envie d'être un anachorète ....

- « Mais vous vous conduisez comme un raciste antisémite, me répond ce grand jeune con !

Je claque la porte, et je crie au secours, perturbant les clients qui attendent au guichet, sur une ligne, en silence, m'évoquant un instant d'autres couloirs... Et je vais m'asseoir dehors, sur les marches, à côté de mon SDF habituel qui a comme moi un rapport très ordinaire avec les flux financiers...

Je respire, la rue est tranquille, des passants me saluent, bonjour Docteur, et je leur présente mon associé et son chien qui se marrent et profitent de l'aubaine, en cette belle journée, sur les marches de la Synagogue Nationale de Paris,...
Ma Banque !!!

LE BASQUE

Quand j'étais petit, je disais que les Allemands parlaient
Bettterraaave, les Anglais
Caoutchouc, et les Basques caillou...

Le Basque est un caillou,
Le Basque est un taureau, un béret, une gourde, une nappe à carreaux, une jeep, un pêcheur de morue, un ennemi, un survivant, une étrangeté jubilatoire qui fédère les résistances, exacerbe les fiertés, avec la certitude d'être unique,... dans un monde différent.

Notre ami Basque disait :
Tu as raison petit, les Basques parlent caillou comme les galets d'une rivière, mais les Basques ne parlent pas entre eux,

Ils chantent !!!

LE BILLET

Ils sont nus et surpris,
Il tire le drap sur son triomphe .

Elle s'enfuit vers la salle de bain en une ondulation soyeuse.
Le silence dure peu... Ils ne devraient pas être là, mais je m'excuse à reculons...

- " Attends petit !! "
Debout, nu, moins triomphant, il sort un billet de son pantalon chiffonné et me glisse en confidence.
- " Je sais que tu seras discret .. ! "

Et ce bruit de billet qui s'extirpe et se froisse, restera comme le murmure d'un secret, comme un chuchotement dans le silence, comme le salaire de l'honneur.

LE COMMANDEUR

Des rares cheveux restants, il a fait une mèche subtile et longue qu'il enroule sur son crâne comme un regret, couleur du temps passé.
Emergeant de sa silhouette hésitante et de son blazer blanc, on l'imagine sur le pont d'un Riva, dans un soleil couchant et glorieux, mettant en valeur la pâleur de son visage et sur son revers, un ruban rouge et le blason du Rotary.

À ses côtés, ruisselantes et scintillantes de dorures, deux créatures, comme un bijou à chaque bras, gardent en vain l'espoir d'une démarche digne sur les pavés du port et leurs talons aiguilles.
L'équipage cahote dans un halo de mode et de style très régence, et se souvient des soirées prestigieuses au casino de Biarritz :
Splendeur, fortune, beauté, élégance, apparat,
et disparait dans une DS 19 Pallas de la même année...

LEÇON D'ANATOMIE

Il y a longtemps... Entre Mopti et Gao... Dans le rougeoiement interminable du vent...

À l'entrée de la tente, dans le rougeoiement du soleil déclinant, une grand-mère a relevé sa jupe et couché un enfant sur sa peau .
Elle chante dans le soleil et dans le vent, et son chant me bouleverse, alors qu'il semble hypnotiser l'enfant, abandonné entre ses longues mains agiles qui le massent, le malaxent, l'étirent.
Elle pose ses paumes sur mes mains, me guide et m'enseigne.

Le vent s'essouffle vers la nuit, la voix vibre, un peu rauque, et les hommes rient de voir le jeune médecin blanc apprendre le savoir des femmes...

LYCEE

Le lycée de Royan, lumière, océan, immensité, horizon, couchers de soleil, bruit du vent dans les pins pour bercer mes nuits et mes études dans ma chambre pigeonnier.
Le lycée sans grille, les terrains de volley, le fronton, la fuera sur chaque mur pendant les récrés, des profs enthousiasmants, érudits, un peu fous, avec du génie et de l'amour...
Et puis, l'art de rire avec les amis garçons et filles, dans une promiscuité bien pensée qui nous donnait un sens de la parole qui nous habite encore, la joie des mots bien mis, bien associés, pour qu'ils fassent décoller et voyager nos âmes.

Des copines filles, bien sûr un peu plus copines quand elles étaient jolies, avec qui l'on partageait la joie de vivre et de rire de tout, et qui faisaient balancer les palmiers imprimés, selon la mode d'alors, sur leurs jeans moulants, comme une innocente évocation tropicale.

C'est là où j'ai dévoré Tolstoï et Maupassant en écoutant Salut les copains, c'est là où j'ai découvert le slip en nylon, le frisson philosophique, et la jouissance asymptotique des mathématiques, Victor Hugo, la nuit du 15 août, les larmes du prof de français lisant Baudelaire, le prof de philo entonnant Minuit chrétien ou les Pêcheurs de perles, et les filles bien lunées qui nous faisaient la tempête de palmiers avec leurs hanches quand nous faisions le bruit du vent.

Des études ? Non, un chemin d'aventures où même les efforts étaient suaves, plongés dans une ambiance avant-gardiste de métissage avec nos potes Maliens, Marocains. Algériens, Pieds noirs, que l'on pouvait appeler " Nègres " alors que nous étions des " faces de pets," dans une tendresse adolescente et sans contrainte.
Un temps où la lecture de l'Huma enrichissait nos contrepèteries et notre vocabulaire de révolutionnaires heureux et pacifistes, allongés en étoile sur la plage, poursuivant l'enrichissement du verbe... entre deux passes de volley.

MALAGA

Il y a des palmiers qui défient le ciel,
Il y a des terrasses humides aux heures les plus chaudes, des filles colorées, provocantes, épicées, que leur accent roulant rend quelque peu vulgaires dans leurs éclats de rire.
Je dors, très tard dans la nuit, dans un hôtel peu glorieux où le ventilateur peine à pousser ses pales fatiguées dans un air épais de sueur et de friture, sur un lit métallique en forme de rigole .... Je dors dans un film en noir et blanc ....
. . . Casablanca ... c'est moi !!!
La vie est dehors, au coin des rues, sur les places autour des fontaines, sur les terrasses animées par les chants.
Après l'âpreté de la Sierra Nevada, après la descente immense vers le bleu des flots entrevus, les fruits de barbarie, les braseros, l'embrasement de la chaleur, Malaga ruisselle d'opulence.
Nul doute ; Cette oasis, un jour, alors que le monde assoupi rêvait, a été arrachée des bords du Sahara par un vent de Sud, pour venir s'échouer au pied des monts, sur le rivage d'où elle peut encore percevoir les effluves d'Orient.
Il fait très chaud et je marche dans la fontaine, comme les enfants, comme les pigeons, comme les filles qui font semblant de ne pas voir l'indécence de leurs éclaboussures.

De temps en temps, un moineau vient piailler sous ma table...
De temps en temps, un passant m'offre d'allumer la Ducados que je ne fume pas, et que je tourne entre mes doigts, attentif, absorbant les sons, les personnages, les couleurs, l'ambiance.
De temps en temps, une fille vient me toucher le bras :
- " Votre ticket, Monsieur ! " ....
et je reprends un ticket de voyage immobile ...

Un jour je traverserai la grande bleue, pour aller voir... là-bas...

MÉDECINE

Comme j'ai connu les hommes,
J'ai connu les souffrances, les désarrois, les désespoirs, les joies égoïstes et les désillusions, les pulsions sauvages et l'instinct meurtrier, la haine, l'amour fou, l'inquiétude qui rôde sur la paix et la fortune, la solitude de la mort.

Et les patients, les malades, les souffrants, m'ont guéri de tous leurs maux, me laissant vulnérable, sorti de ma coquille comme un bigorneau passé au court bouillon de la vie...

MICHEL STROGOFF

J'ai traversé la Sibérie entre La Tuilière et Praslay...
Je vous vois sourire...
Bien avant d'avoir lu Michel Strogoff et Jack London, bien avant la Croisière blanche, dans les années 40, par un hiver dont la Haute- Marne a gardé le secret, sur une petite route enneigée, dans une " Trèfle " comme au cinéma, avec double débrayage intégré et chauffage par la capote, nous avons fait la cabriole dans les virages de la Tuilière, juste au-dessus de l'Aubette...
Mon père et ma sœur ainée m'ont extirpé de la voiture couchée sur la neige comme un grand cheval fatigué, et nous sommes partis, en équipage, à travers la campagne, pour rejoindre la maison.
La hauteur de neige était telle que je ne pouvais avancer, et j'ai fait route à cheval sur les épaules de mon père. Spectacle périscopique sur la vallée où se nichait notre village, j'ai découvert le paysage sous un angle nouveau, comme un archer Mongol chevauchant la steppe endormie...
J'avais cinq ans, peut-être six ; Je n'avais pas les mots, mais je les inventais, pour traduire l'immensité, le silence, le désert, et l'édredon feutré recouvrant toutes choses dans des images figées de givre, des paysages surexposés de lumière blanche, avec le point sombre de la sapinière au-dessus de la maison, là-bas, au loin, de l'autre coté de l'Oural...

Plus tard, quand j'ai appris Mourmansk, Vladivostok, ou Yellowknife, j'étais blasé ...
il y avait belle lurette que j'avais affronté le grand nord, à cheval, sur les épaules de mon père, avec le chant de ma sœur toute heureuse de ne pas repartir en pension chez les cornettes de la désolation et de la repentance réunies... Parfaitement !!!
Maman ne nous attendait pas, mais il y avait toujours de l'eau chaude au coin du poêle à bois qui chauffait notre Isba...

MIGRATION

Le dimanche, sous le soleil du portique, ils viennent se regrouper, comme une colonie de manchots. Stoïques face à la mer, ils rêvent de banquise et de glaces, et ils en mangent, ils en lèchent, ils en sucent, alignés sur une grève baignée de cornets, de sorbets et de chichis.
Il y a de tout, des petits manchots grassouillets, des mamans phoques attentionnées, des pingouins en habit, et des morses monstrueux surveillant leurs gros cubes...
Ils ont le regard coupable du sucre interdit, et ça sent l'huile chaude, les amandes, les filles un peu grosses, et la crème solaire.

Cette migration dominicale n'a pas d'autre but que la procession rituelle du retour sur la quatre voies et les bouchons du dimanche soir...

MYSTÈRE

NUIT DE LUNE

La lune, blanche comme une porcelaine, apaise de sa lueur le canyon endormi .
Un coyote hurle, et la police Navajo rôde, tous feux éteints.

Au bord du vertige, il ne reste que l'immensité du relief, de la nuit, du silence peuplé de cris furtifs et proches, alors qu'au fond des bois le brame des wapitis résonne comme une cathédrale.
Chargée d'humus, d'amour fou, et de combats aveugles, la grande symphonie hormonale fait frémir les bas ventres, organise les harems, les viols, et la soumission aux plus forts qui seuls se reproduisent...

Plate et indifférente, la lune semble rêveuse, et caresse en chemin les strates de roches sculptées par les vents.

PASEO

Sous les arcades et les palmiers les derniers éclats du soleil fusent en dégradés de jaune, orange, rouge, reflétés par les cheveux noirs et luisants des promeneurs auréolés de la blancheur de leur chemise et de leurs dents couronnées.
Dans la nuit qui tarde à venir, flotte une odeur de propre et de fête, de chichis et de granizados au café.
Chacun passe, se montre sous son meilleur jour, et même les enfants se rengorgent dans leurs habits.
Le paseo,... et les Andalouses dont l'œil noir vous promet des turpitudes que je n'invente pas, ne sont plus catholiques, mais simplement belles, comme des danseuses de flamenco chantant l'amour en silence, en souffrance, en promesses impossibles.

Dis-moi que je suis belle, le temps que tu me vois...
Dis le moi...

PATIENCE

La patience pose un frein sur l'enfer du désir,

- " Sois attentif, sois attentif à tout moment, l'attention se nourrit de l'amour de l'instant, "
m'a dit un jour un dromadaire.

Patient sans passion, le dromadaire porte dans les hauteurs sa mimique désolée , et pose son regard bordé de cils veloutés sur un horizon stable, définitif, et éternel.
Il a laissé tomber sa lippe en un rideau flottant sur un sourire qui en dit long sur sa désespérance, et va, à pas feutré, sur un chemin sans but, trainant sa nonchalance sur une mer désertique et figée, qui ne se souvient pas...

Et moi je le regarde, je m'arrête,... et sa lenteur ralentit ma montre...

PETIT MATIN

Le soleil s'est levé bien avant moi et la lumière est vive.
L'horizon a rougi des souvenirs de l'aube .

Dans le miroir et la pénombre les poches sous mes yeux
ont le poids d'un voyage et l'ampleur d'une fête réussie.
C'est décidé , je me recouche , et aujourd'hui ne sera
que le souvenir d'hier,

Un crépuscule.

POUVOIR

Du plat de la main, elle caresse avec soin le document, écartant par ce geste tout nuage, tout soupçon de fraude ou de malfaçon, et toute miette tombée de son jambon beurre de midi.
Elle soupire,
Et ce soupir profond déclenche des vaguelettes sur sa poitrine blanche et abondante. Elle incline la tête en me regardant d'un air entendu et la pointe de sa langue vient mouiller son gloss.
Le bras tendu, sa main tient fermement la partie renflée du manche qu'elle connait si bien : Le petit manche, la date, le gros manche, la république !

Lentement le bras armé s'écarte, et vient s'alanguir sur un encreur, noir, brillant, et humide de promesses.
Sa main dessine alors une ronde sensuelle où tampon et encreur s'unissent en un échange de fluide ondulant et giratoire. Elle me regarde avec une pointe d'insolence :
- " Tu vas voir ce que tu vas voir ... tu n'as rien vu encore... "
Comme dans une tragédie grecque, le tampon s'est levé et suspend son vol dans sa main potelée comme une pêche nectarine.
Et tout s'arrête :
Le temps s'arrête, les écrans se brouillent, les bruits s'éloignent vers l'infini, toute la sous-préfecture est

suspendue, et l'angoisse lentement coule hors des tiroirs et des classeurs, et la boite vocale ne délivre plus de numéros de la chance...

Un petit bras boudiné, une main dodue que l'on pourrait imaginer très douce, tient en cet instant où tout peut basculer, un tampon certifieur qui va s'abattre comme la francisque de Clovis. Son visage est grave : Authentifier, ou ne pas authentifier ...
Son geste, elle le sait, va engager l'avenir d'une façon irrémédiable. Elle peut le déclencher, ou le retenir ....
L'avenir du document, et le mien, et ce qui en découle...
Il y a de quoi être grave, et ce bras levé écrit des points de suspension dans le silence de l'administration.

La main s'est levée un peu plus haut, presque rien, hésitante, comme un élan, comme un silence avant le fracas du tonnerre... et s'abat sur le document offert et implorant.
Et ce bruit mat, souple, un peu humide, en éclatant dans les strates administratives, remet ma montre en marche, anime les écrans , fait bourdonner la ruche et la boite vocale prend de nouveaux concurrents.

Je repars, heureux comme après un danger, avec mon document attestant que je suis bien en vie.

PRIÈRE

Dieu merci, je ne crois pas en la finitude de la vie, ni en la fuite inexorable du temps.
Dieu merci, je ne crois pas en ces illusions que sont l'intelligence et la suprématie de l'homme qui a crée un Dieu à son image.
Dieu merci, je n'ai pas besoin d'un créateur pour exister,
Dieu merci, je sais bien que Dieu ne me le rendra pas,
Dieu merci, je ne crois pas en l'homme non plus.

Le grand tourbillon, la grande loterie du monde, m'a désigné gagnant d'un jeu de la vie, à partager avec quelques milliards d'autres humains...
Une miette chacun, que l'on peut dévorer, voler, acheter, accumuler, vendre, jalouser, envier, dissimuler, monopoliser, protéger, défendre, hérisser de barbelés en haut de murs où les canons sont prêts à tuer les convoitises...

Que la vie est belle, quand on y met un peu d'amour!
Dieu merci!

ROOM SERVICE

- " Room service, Madame ! "

- " Cheriii " hurle-t-elle de sa voix aiguë comme une scie à métaux,

- " Viens voir comme il est mignon notre garçon ! "
Chéri s'en fout, et me jette un regard sombre et sans âme qui lui ressemble.
On dirait un bullmastiff noir avec gourmette et chaine en or dont le regard méfiant ne se fixe jamais.
Elle, glousse et babille dans sa tonalité criarde, grande perruche Récamier picorant des graines de pistaches sur son lit de repos...

Et j'imagine le Golf hôtel comme une grande cage blanche et ronde, avec mangeoire, perchoir, et entrée des visiteurs...

RUPTURE

C'est fini, terminé... Après des années d'appartenance étroite à respirer le même air...

Que n'en ai-je rêvé de cette blonde bien roulée,
Que ne me suis-je enivré de son parfum de miel oriental, les doigts tendus pour la saisir, la palper, la tenir comme une présence apaisante, en sachant que ses embrasements laisseront sur mes lèvres le goût d'un plaisir furtif et jamais achevé, au point d'y penser dès le réveil, de ne plus supporter son absence et de courir la ville et les bars pour la retrouver, longue tige blonde dont les phéromones et l'alchimie me dopent et m'emprisonnent.

Terminé ! Si quelqu'un en veut, je lui refile le paquet...
Notre amour est consumé,
Notre amour n'est plus qu'un tas de cendres,
Je l'ai écrasé dans le cendrier du salon...

SANTA MARIA

Amarré au bout de la rue, le bar Santa Maria devrait évoquer l'odeur du large et les mouettes rieuses.
En bout de rue, en bout de quai, c'est une caravelle lassée de ses voyages, échouée là, juste après le bar Basque, et dont la porte entrouverte exhale le tabac froid et la bière tiède.

Au bastingage, les passagers, alignés comme des passereaux par vent d'ouest , ont le regard perdu de l'autre coté de l'immense miroir où se reflètent des noms exotiques : Cinzano , Martini , Lilet , Picon , Suze , Kronenbourg... Campari...

Autant d'escales, autant de rêves, de promesses, de paradis perdus, et de terres promises...
Leurs carcasses gémissent sous les effets de l'âge, du passé, et de leur servitude.

Leurs regards fatigués fixent un horizon qui ne recule plus.
Ils rêvent qu'ils naviguent... et qu'ils se désaltèrent.

Ils ne se parlent pas ;
Ils écoutent, ponctuant le jeu télévisé de leurs commentaires avisés :

- " Ah les cons !! "
- " f'rait mieux d'sarrèter, va perdre ! "
- " Bien fait ! "

Tout en suivant de l'œil la grande fille blonde, qui semble leur promettre de montrer ses seins à la prochaine image .

Maurice a lâché le bastingage, il oscille un peu dans la houle, et renifle :
- " C'est pas tout ça; faut qu'j'aille pisser ! "

SOL Y SOMBRA

Sans transition, la ligne marque d'un trait violent le passage de l'ombre à la lumière.
C'est la frontière entre deux mondes.
Le Sud n'a pas de nuance,
Lumière pour la vie, le brouhaha, la violence, l'éclat des couleurs, l'abondance, et les cuivres qui sonnent...
Ombre pour le repos, la suavité, la sieste, le tempo, et la douceur du sable de l'arène...

L'habit de lumière attend dans l'ombre la charge violente d'un monstre dont la peau luit sous le soleil...
Le paseo, la capéa, le paso doble, la muleta, la suerte...
Des mots ensoleillés par la musique qui invite une poupée fragile à danser avec une brute sauvage.
Images surexposées, c'est la réalité violente d'un combat dont l'esthétisme ne résistera pas au passage brutal du côté sombre de l'un, et au ruissellement glorieux de l'autre... déchirement de l'amour à la mort.

TARTARE

Fin juin en bord de Seudre, le soleil n'en finit pas de se coucher.
Dans cette cabane en bord de vase, les touristes ont la peau blonde et rouge, et seul l'accent prouve qu'ils ne sont pas Anglais...

Le soleil la gêne, il fait trop chaud, et la fenêtre ouverte laisse passer un vent qui est trop froid...
Il n'y a pas de Suze,... elle prendra un Kir, bien qu'elle n'y tienne pas, et elle commente le menu trop riche, le remaniement ministériel ridicule, les fondations de sa maison fissurées, la chance des fonctionnaires, et ses économies qui ne sont pas faites avec l'argent des autres...
Son compagnon opine d'un chef rougeoyant et voudrait s'excuser de n'avoir pas une conversation si brillante et fournie,... et commande un steak haché en regardant rentrer la procession des bateaux de pêche...
Elle véhémente, et ses dents déjà désordonnées, s'agitent et sarabandent alors qu'elle explique à tous les infidèles que le vrai tartare est un tartare à cheval !

Et je la vois, debout sur sa selle, prête à conquérir l'Orient...

TOLÉRANCE

Sur une des plus belles terrasses du monde, là où le Generalife prend les couleurs du couchant dans des senteurs de magnolias, de lauriers, et de jasmin d'été, alors que les hirondelles, martinets et pipistrelles offrent le ballet acrobatique d'un festin de fourmis volantes à peine écloses,
une guitare chante Bach.

Chacun retient son souffle, s'imprègne de l'instant et du bruissement diffus de l'eau invisible et présente.
Ce bruit a un éclat, vif, limpide, comme un chant de la vie descendue de la Sierra Nevada, sombre et coiffée de blanc, menaçant les intrus et protégeant les siens.

C'est dans la magie de ce lieu fait de simplicité et d'harmonie que l'on peut embrasser les jardins du paradis.
C'est là que deux cigares Teutons sont sortis de leurs tubes comme deux torpilles.
C'est là que le nuage toxique de deux Germains s'en est venu agresser un groupe d'Anglais très British et heureux...

Comme pendant le Blitz, les hommes ont soustrait les femmes au risque vital, bravant le nuage chimique en implorant la convention de Genève...

L'un d'eux s'en fut supplier la grâce d'Outre Rhin, mais rien n'y fit.
Les deux pollueurs impolis ont consumé leurs armes tout en jouant avec leurs bracelets en poil du dernier éléphant.

Un jour, ils raconteront la magie d'un instant et d'un lieu baigné de paix, de tolérance, de musique, de senteurs de magnolias, de lauriers et de jasmin d'été,
et roteront bien fort en reposant leurs bières... à la gloire de Charles Quint!!

TOUT S'INVENTE

Loin des passions, loin des intolérances et des cités violentes,
J'ai appris à rêver.

Rêver de cette ville, où se côtoient les différences,
Où Boubous, pagnes, coiffes emplumées, Brésiliennes,
Inuits, Touaregs, Mongols, commercent, se parlent,
s'insultent, font l'amour, avec une ribambelle de métis
beaux comme un nouveau monde.

C'est le langage universel,
Celui qu'il suffit d'écouter pour comprendre,
C'est la grande religion,
Celle qu'il suffit d'écouter pour aimer.

UN CAFE !

Dans une révolution de grains moulus libérant le Brésil et le Guatemala, l'eau bouillante se propulse avec force à travers la mouture qui mousse de douleur.
Mes narines captent des arômes, et la cuiller bat la mesure sur la soucoupe.
Noir, intense, moussu, parfumé de voyages et de sueurs lointaines, l'amertume et la force effleurant les papilles dans un rituel raffiné et riche de silence et de recueillement,
Je l'entends venir ,
et je savoure l'attente...

VÉNUS HOLLANDAISE

Alors que les pubs télé inondent le voisinage et que les cubes de glace tintent dans mon verre, elle vient à moi comme si je l'attendais.
Je la vois balancer son corps de Vénus hollandaise au regard noir, arrogante et confiante de la blancheur de sa peau sous ses cheveux de Jais.
Elle a jeté son sac par la fenêtre restée ouverte, et ma voiture a frissonné devant cette intrusion...
Sud... Par des routes et des chemins qu'elle m'indique par gestes, parlant peu, son bras contre le mien, sa tête sur mon épaule comme depuis toujours, et ma " deux pat" qui berce et ronronne de complicité.
Dans un village de Far-West, sur la terrasse chaude comme un poêle d'une maison blanche, nous nous sommes lavés à la pompe et nous avons dormi.
Je peux dire qu'elle m'a fait l'amour comme on déguste un Rahat Loukoum, goulûment et lentement, en laissant le corps s'amollir avant de fondre, dans une lenteur tiède et ondulante.
Elle me quitte à Malaga...
Je me demande si elle s'en souvient...

VOMIR D'AMOUR

C'est fini : je m'en vais...
Personne n'y a cru, sauf moi...
Je pars, je prends la route avec deux paires de chaussettes et trois chemises...
J'abandonne, je laisse en vrac le passé, cette page entière de souvenirs tendres et drôles, cette époque de joie de vivre qui se termine en incompréhension et en mépris...
Je roule, et Michel Fugain me dit que c'est un beau roman, c'est une belle histoire, c'est une romance d'aujourd'hui...
Bien joué mon frère, tu l'as dit, tu l'as fait, tu pars, les mains dans les poches en laissant tout, chargé de rien, sauf peut-être ce sac à dos lourd de remous, de remords, de regrets, d'insinuations silencieuses, de doutes, et des terribles certitudes des mensonges et des tromperies.
Je file vers la liberté, la lumière, certain de mon choix, fier de moi.
La route est belle et droite, il fait beau, et Michel Fugain chante... Un cadeau de la providence...
J'arrive parfaitement à faire semblant d'être heureux...

J'ai à peine le temps de m'arrêter...
L'énorme chaudron qui m'écrase le creux de l'estomac vient d'exploser et remonte jusqu'à ma gorge.

Je vomis comme un soudard, plié en deux, plié en quatre, fripé comme un accordéon, et le sel de mes larmes ne change pas le parfum de ce truc qui me sort des tripes, et qui pue, et dont je me débarrasse en même temps qu'il me terrasse ...
Demain je serai neuf, convalescent, étonné, hagard, sans appétence, juste un petit dégoût qui imposera de ne pas bouger, ni penser, juste attendre que ça passe, ... ayant expulsé mon amertume dans un flux de liquide gastrique et de bile ...
Décidément je pars à vide ...
C'est bien ! C'est le bon choix !
Casse-toi ! Tourne la page !
Le plus dur est passé !
Putain que ça fait mal !... Je crois que j'ai un trou dans l'âme !!!

TABLE

Poèmes libres 5

Arènes 7
Bateau 9
Burnous 11
Calypso 13
Camel 15
Carrelet 17
Céleste 19
Colère 21
Comment dire 23
Dactylo 25
Dans les nuages 27
Décembre 29
Dune 31
Echo 33
Ecrire 35
Ephémère 37
Et après 39
Faute 41
Fleur de désert 43
Fondant 45
Fontaine 47
Grand Coeff 49
L'attente 51
L'homme bleu 53
La minijupe et a burka 55
La sédentaire 57

La siesta 59
La Vigie (dessin) 60
La Vigie 61
Le fil 63
Le gardien 65
Le miroir 67
Le repos 69
Les ânes 71
Magnolia 73
Marée de 111 75
Matin 77
Matin Chopin 79
Matin de Mai 81
Matin de rose 83
Mérou 85
Midi 87
Nécessaire 89
Nocturne 91
Nouveau crédo 93
Printemps 1 95
Printemps 2 97
15 Août 99
Solitude 101
Souvenir dans les étoiles 103
Tes yeux 105
Tiédeur 107
Vélo 109

Traits de plume 111

Baudets du Poitou 113
C'est possible 115
Chez Michou 117
Clignement de nuit 119
Constipation 121
De Dieu 123
Dictateur 125
Extra-vierge 127
Faut pas rêver 129
Ferrari 131
Foire de juin 133
Golf Hotel 135
Hammam 137
Hiver 139
Juillet 141
Juste un doigt 143
Khankalili 145
L'art de rien 147
L'artiste 149
L'Urinoir Andalou 151
La charmeuse 153
La conspiration des poubelles 155
La fouine 157
La lingette 159
La petite peste 161
La petite vieille 163
La recette du marais 165
La traversée 167

La vierge à l'enfant 169
Le banquier 171
Le basque 173
Le billet 175
Le commandeur 177
Leçon d'anatomie 179
Lycée 181
Malaga 183
Médecine 185
Michel Strogoff 187
Migration 189
Nuit de lune 191
Mystère 193
Paséo 195
Patience 197
Petit matin 199
Pouvoir 201
Prière 203
Room service 205
Rupture 207
Santa Maria 209
Sol y Sombra 211
Tartare 213
Tolérance 215
Tout s'invente 217
Un café 219
Vénus Hollandaises 221
Vomir d'amour 223

Lightning Source UK Ltd.
Milton Keynes UK
UKHW022114010121
376256UK00011B/869